DIWRNOD Y
LLYFR
WORLD
BOOK
DAY
5.3.2020

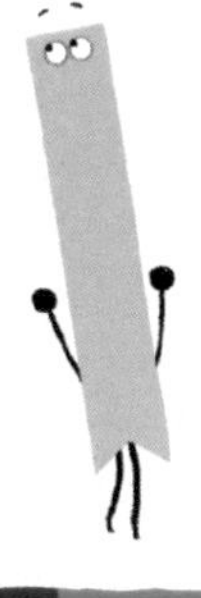

Mae'r llyfr Diwrnod y Llyfr 2020
hwn yn rhodd gan eich llyfrwerthwr
lleol a Gwasg Carreg Gwalch

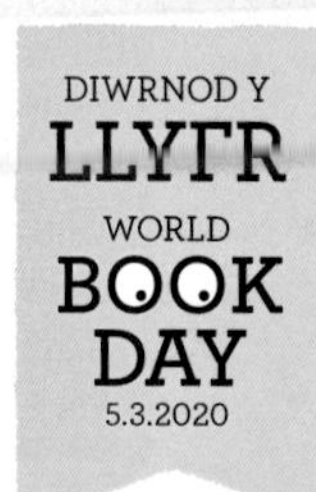

DATHLU STRAEON. CARU DARLLEN.

Mae'r llyfr hwn wedi cael ei greu a'i gyhoeddi'n arbennig i ddathlu Diwrnod y Llyfr. Elusen sy'n cael ei hariannu gan gyhoeddwyr a llyfrwerthwyr yn y DU ac Iwerddon yw Diwrnod y Llyfr, ac mae Llywodraeth Cymru yn cefnogi'r ymgyrch yng Nghymru. Ein cenhadaeth, drwy gynnig llyfr, yw rhoi cyfle i bob plentyn a pherson ifanc ddarllen llyfrau a gwirioni arnynt. I gael mwy o wybodaeth, llawer o weithgareddau hwyliog ac argymhellion i'ch helpu i ddarllen, ewch i **worldbookday.com**, neu am adnoddau yn y Gymraeg ewch i **darllencymru.org.uk**

Mae cynnal Diwrnod y Llyfr yn y DU ac Iwerddon hefyd yn bosibl yn sgil nawdd hael Tocynnau Llyfr Cenedlaethol (National Book Tokens) a chefnogaeth gan awduron a darlunwyr.

Mae Diwrnod y Llyfr yn gweithio mewn partneriaeth â nifer o elusennau, sydd i gyd yn cydweithio i annog cariad at ddarllen er mwyn pleser.

Mae'r Ymddiriedolaeth Llythrennedd Genedlaethol yn elusen annibynnol sy'n annog plant a phobl ifanc i fwynhau darllen. Gall dim ond 10 munud o ddarllen bob dydd wneud gwahaniaeth mawr i'ch llwyddiant yn yr ysgol ac i'ch llwyddiant mewn bywyd yn gyffredinol. **literacytrust.org.uk**

Mae'r Reading Agency yn ysbrydoli pobl o bob oed a chefndir i ddarllen er mwyn pleser. Maent yn cynnal Sialens Ddarllen yr Haf mewn partneriaeth â llyfrgelloedd a Chyngor Llyfrau Cymru; maent hefyd yn cefnogi grwpiau darllen mewn ysgolion a llyfrgelloedd drwy gydol y flwyddyn. Dysgwch fwy ac ymunwch â'ch llyfrgell leol. **summerreadingchallenge.org.uk**

BookTrust yw elusen ddarllen plant fwyaf y DU. Bob blwyddyn rydym yn darparu llyfrau, adnoddau a chymorth i 3,400,000 o blant ledled y DU er mwyn eu hannog i ddatblygu cariad at ddarllen. **booktrust.org.uk**

Mae Diwrnod y Llyfr hefyd yn hwyluso codi arian ar gyfer:

Book Aid International – elusen ryngwladol ar gyfer rhoi llyfrau a datblygu llyfrgelloedd. Bob blwyddyn, maent yn darparu miliwn o lyfrau i lyfrgelloedd ac ysgolion mewn cymunedau lle na fyddai plant fel arall yn cael llawer o gyfle i ddarllen. **bookaid.org**

Read for Good – elusen sy'n ysgogi plant mewn ysgolion i ddarllen er mwyn pleser drwy gyfrwng ei hymgyrch ddarllen noddedig. Mae'r arian a godir yn darparu llyfrau newydd a storïwyr preswyl ym mhob un o ysbytai plant y DU. **readforgood.org**

NODDIR GAN / SPONSORED BY
NATIONAL BOOK tokens
DARLUNIAU / ILLUSTRATION
Rob Biddulph

I BLANT CYMRU
sy'n cael blas ar hanes eu gwlad

STORI CYMRU

Iaith a Gwaith

Myrddin ap Dafydd

Gwasg Carreg Gwalch

Argraffiad cyntaf: 2020
Ail argraffiad: 2021

Rhif Llyfr Safonol Rhyngwladol:
978-1-84527-726-0

Cyhoeddwyd gyda chymorth Cyngor Llyfrau Cymru

Cyhoeddwyd gan Wasg Carreg Gwalch,
12 Iard yr Orsaf, Llanrwst, Dyffryn Conwy, Cymru LL26 0EH.
Ffôn: 01492 642031
e-bost: llyfrau@carreg-gwalch.cymru
lle ar y we: www.carreg-gwalch.cymru

Argraffwyd a chyhoeddwyd yng Nghymru

Cynnwys

Cyflwyniad 6

Ysgolion Cylchynol 8

Terfysg 12

Dathlu'r Mimosa a Gwladfa Gymreig ym Mhatagonia 1865 17

Tanchwa Senghennydd a Balchder y Cwm 21

Carchar Fron-goch 26

Draig Goch ar Gastell Caernarfon 31

Teulu'r Beasleys 36

Gobaith Cymru 41

Cadw Llangyndeyrn rhag y dŵr 43

Cau Chwarel Dinorwig 47

Streic y Glowyr 51

CYFLWYNIAD

Ar hyd y canrifoedd, mae straeon o hanes Cymru yn dangos bod yr iaith Gymraeg yn elfen bwysig yn y ffordd rydan ni'n byw ac yn bod. Pan aethom ati i ddysgu trwch y werin i ddarllen, y Beibl Cymraeg oedd prif destun y gwersi. Roedd mwy o ganran o Gymry yn llythrennog na'r un wlad arall yn Ewrop ddau gant a hanner o flynyddoedd yn ôl. Pan aeth mintai o Gymry i Batagonia, roedd sefydlu gwladfa lle'r oedd modd byw drwy'r Gymraeg ynddi yn un o'r cymhellion pennaf. Adref yng Nghymru, ymladdwyd brwydrau cyson i gael hawliau i siaradwyr Cymraeg a threfnu hwyl ac adloniant Cymraeg i blant. Mae hyn i gyd yn cael ei ddathlu drwy stori a chân yn y gyfrol hon.

Bu datblygu diwydiannau yma ar dir Cymru gan ddefnyddio adnoddau naturiol cyfoethog ein tir a'n creigiau yn bwysig i greu gwaith, sicrwydd i deulu a pharhad i'r Gymraeg. Cymru oedd y wlad ddiwydiannol gyntaf yn hanes y byd modern. Ond doedd ennill bywoliaeth yn y gweithfeydd ddim yn hawdd nac yn ddiogel. Bu brwydrau cyson a ffyrnig rhwng gweithwyr Cymreig a pherchnogion digyfaddawd, ac mewn sawl pwll a chwarel roedd y gwrthdaro ar sail cymdeithas leol a rheolwyr estron yn aml.

Bu dioddefaint a damweiniau; gwelwyd ffyddlondeb a safiad dros gyfiawnder a dewrder timau achub. Daeth 'Mewn undeb mae nerth' yn un o ddywediadau mwyaf angerddol y Gymraeg. Mae hyn eto yn rhan o'n hanes ac yn fyw yn ein baledi.

Mae'r gyfrol hon yn gasgliad cryno – sy'n cynnwys tair pennod newydd – sy'n arwain at y gyfrol gyflawn: *Stori Cymru: Hanesion a Baledi* (Gwasg Carreg Gwalch, clawr caled, lluniau Dorry Spikes; £12.50).

Ysgolion Cylchynol Griffith Jones

Rhwng 1546 ac 1660 cyhoeddwyd 108 o lyfrau Cymraeg ond cyhoeddwyd 2,500 o lyfrau rhwng 1700 ac 1799. Dyna gynnydd anferthol – 25 o lyfrau'r flwyddyn yn hytrach na rhyw un! Roedd o leiaf un wasg argraffu ym mhob tref farchnad yn y wlad erbyn hynny a Chymraeg oedd prif iaith yr holl weithgaredd hwn. Fel mae'r we fyd-eang a'r cyfryngau cymdeithasol newydd yn ein dyddiau ni'n rhoi rhyddid inni hel a rhannu gwybodaeth, felly roedd y wasg argraffu yn rhoi deunydd darllen a thrafod ac yn agor drysau newydd yn y ddeunawfed ganrif.

Ni fyddai'r holl waith argraffu yma o ddim gwerth oni bai bod pobl yn medru darllen y llyfrau, y cylchgronau a'r cerddi oedd yn cael eu cyhoeddi. Digwyddodd rhywbeth eithriadol yng Nghymru yn ystod yr oes honno – dysgodd dros 300,000 o Gymry, yn oedolion a phlant, sut i ddarllen. Dyna dri chwarter poblogaeth y wlad. Erbyn diwedd y ganrif Cymru oedd y wlad fwyaf llythrennog yn Ewrop ac aeth sôn am ei chyfundrefn addysg ar led, gyda gwledydd fel Rwsia yn ceisio dynwared y llwyddiant a gafwyd yma i greu gwerin ddarllengar.

Un gŵr yn ei hanfod oedd yn gyfrifol am y gamp

honno, sef Griffith Jones, Llanddowror (1683–1761). Cafodd ei fagu yn ardal wledig gorllewin sir Gaerfyrddin ac ar ôl cyfnod yn ysgol y pentref, bu'n bugeilio defaid. Nid oedd addysg rad gan y wladwriaeth ar gael bryd hynny – dim ond plant roedd eu teuluoedd yn medru fforddio talu i'r ysgolion fyddai'n derbyn addysg. Llwyddodd teulu Griffith Jones i'w yrru i ysgol ramadeg Caerfyrddin yn ei arddegau ac yn bump ar hugain oed cafodd ei ordeinio i swydd yn yr eglwys. Roedd yn bregethwr grymus iawn, yn feistr ar y Gymraeg ac ar ei fynegi ei hun. Pregethai mewn mynwentydd am fod tyrfaoedd rhy niferus i faint yr eglwysi yn ymgynnull gan dreulio oriau yn gwrando arno.

Yn ei ganol oed, daeth Griffith Jones i'r casgliad nad oedd pregethu yn ddigon i addysgu'r werin. Sylweddolodd fod yn rhaid dysgu pobl gyffredin i ddarllen y Beibl a llyfrau eraill trostynt eu hunain. Nid braint i offeiriaid yn unig oedd y gallu i ddarllen. Trawodd Griffith Jones ar gynllun syml ond effeithiol, sef yr ysgolion cylchynol, ac yn 48 oed, ymroddodd i waith mawr ei fywyd er ei fod yn ddigon gwan ei iechyd. Ei gynllun oedd hyn: câi athro wahoddiad gan offeiriad neu berson mewn awdurdod i gynnal ysgol mewn adeilad addas mewn cylch arbennig yn y wlad am dri neu chwe mis rhwng Medi ac Ebrill, pan fyddai'n gyfnod distaw o safbwynt gwaith ar y tir. Hyfforddwyd yr athrawon yn Llanddowror gan Griffith Jones ei hun a byddent yn derbyn cyflog bychan o gronfa elusen. Ar ôl treulio tymor yno, byddai'r athro yn symud ymlaen i gylch arall, gyda'r disgyblion disgleiriaf wedyn yn cynnal yr ysgol wreiddiol ac yn aml yn mynd yn athrawon i gylchoedd cyfagos yn ogystal. Deuai plant ac oedolion i'r dosbarthiadau. Cynyddodd rhif yr ysgolion yn gyflym nes cyrraedd dros ddeucant y flwyddyn. Pan fu Griffith Jones farw, roedd dros 3,500 o ysgolion cylchynol wedi'u cynnal. Parhawyd â'r gwaith hwn gan yr ysgolion Sul ar ôl hynny.

Yn ogystal â dod yn iaith i werin ddarllengar, enillodd y Gymraeg lawer o dir gan Gymreigio rhai o'r ardaloedd oedd wedi colli'r iaith ers cyfnod y Normaniaid – megis Bro Morgannwg.

Y Gof Geiriau

Daeth gof y pentref at y dosbarth heddiw,
Tynnu stôl ac eistedd arni'n drwm,
Estyn y Beibl Mawr fel petai'n bluen,
Gwrando, gan gadw'i fysedd du ynghlwm.

Edrychodd ar y print a gweld llinellau
Llonydd, rhydlyd fel tomenni'r gwaith
A chlywai sain llafariaid yr ystafell
Fel chwythiad megin, nid fel anadl iaith.

Ond cyn bo hir, roedd gwreichion yn ei lygaid,
Llaciodd y dwylo, gan ddilyn yn y man
Dro'r llythrennau, fel y byddai'n anwesu
Addurniadau haearn porth y llan.

Gwelodd, fel y gwelai'n nhân yr efail,
Y darnau'n asio o hen sgrap y byd;
Wrth droi o'r wers, roedd holl bedolau gloyw
Ei gytseiniaid yn canu dros y stryd.

Terfysg

Mae cyfnod o newidiadau mawr yn arwain at anghyfiawnder ac anfodlonrwydd yn aml. Digwyddodd hynny yn sgil y Chwyldro yn y trefi a'r pentrefi diwydiannol – byddai helyntion am hawliau pobl yn arwain at brotestio torfol a thrais weithiau. Yr enwocaf

oedd Terfysg Merthyr 1831 pan saethodd milwyr at dorf o weithwyr. Ymosododd y dorf hithau ar y milwyr ac arweiniodd hynny at grogi Dic Penderyn. Bu terfysg arall yng Nghasnewydd yn 1839 pan ymgasglodd mintai niferus i brotestio yn erbyn prinder bwyd a diffyg pleidlais i weithwyr – unwaith eto, saethodd milwyr at y dorf o flaen Gwesty'r Westgate a lladdwyd dros ugain o'r protestwyr. Sawl gwaith, mewn dros ganrif o anghydfod diwydiannol, anfonodd yr Ymerodraeth Brydeinig ei milwyr i dawelu'r gweithwyr cyffredin yng Nghymru.

Bu terfysg yng nghefn gwlad hefyd. Tlodi oedd gwraidd y drwg unwaith eto – roedd y prisiau a geid am gynnyrch amaethyddol yn isel, bu sawl cynhaeaf gwael ac roedd cwmnïau tyrpeg yn codi crocbris am gael defnyddio ffyrdd y wlad. Rhoddwyd hawl i gwmnïau wella ffyrdd a chodi toll ar deithwyr, a hyn a hyn y pen am bob anifail, fyddai'n defnyddio'r ffyrdd. Rhoddwyd giât ar draws y ffordd a chodwyd tŷ tyrpeg ar y ffyrdd hynny er mwyn rhwystro lli'r drafnidiaeth fel bod gweision y cwmnïau yn codi'r doll cyn agor y giât. Cwmnïau o Loegr oedd llawer o'r cwmnïau tyrpeg a

chodwyd mwy a mwy o dollau, er bod cyflwr y ffyrdd yn parhau yn druenus.

Yn 1839, penderfynodd criw o ffermwyr a thyddynwyr bro'r Preseli ym Mhenfro a gorllewin sir Gaerfyrddin ymosod ar dollborth a chlwyd yr Efail-wen. Roedd hwn yn derfysg difrifol, gan iddynt falu clwyd a bwthyn y ceidwad â bwyeill ac arfau eraill a'u llosgi. Er mwyn cuddio'u hunain, rhoddodd y ffermwyr barddu ar eu hwynebau a gwisgent ddillad merched. Hwn oedd ymosodiad cyntaf 'Merched Beca'.

Dros y blynyddoedd nesaf, lledodd y terfysgoedd drwy orllewin a chanolbarth Cymru. Er anfon llu o gwnstabliaid a hyd yn oed milwyr i'r ardaloedd, roedd y wlad yn cefnogi Merched Beca ac yn y diwedd llwyddodd y terfysgwyr i orfodi'r llywodraeth i leddfu peth ar eu cwynion. Mewn rhai lleoedd, roedd Beca a'i Merched yn actio drama fach wrth ddod ar draws yr iet roeddent am ei malurio. Bu dros 500 o ymosodiadau ar giatiau a thargedau eraill gan Ferched Beca.

Drama Merched Beca

Beca:	*Mae'r ffordd yn dyllau i gyd, fy merched,* *Mae'n anodd imi wneud y daith,* *Mae'r prisiau'n isel yn y farchnad* *A hir a blin yw'r diwrnod gwaith.* *Ond beth yw hyn? Tŷ tyrpeg gwyn?* *Ni welais hwn fan hyn o'r blaen!* *Mae rhwystr ar fy ffordd, fy merched,* *Ac alla i ddim mynd ymlaen.*
Merched:	*Gadewch i ni ei gweld hi, Mam –* *Gofalwn ni na chewch chi gam.*
Beca:	*Mae'n fawr, mae'n drom – beth yw hi, ferched?* *Rwy'n hen ac nid wy'n gweld yn glir,* *Mae angen cyrraedd ga'tre arnaf,* *Mae wedi bod yn ddiwrnod hir.*
Merched:	*Gawn ni ei symud ichi, Mam?* *Mae pawb yn ffaelu deall pam.*
Beca:	*Arhoswch nawr – rwy'n agos, ferched,* *Ac rwy'n ei theimlo â fy ffon,* *Rwy'n credu wir mai iet sydd yma* *Iet i rwystro'ch mam yw hon!*
Merched:	*Mae iet fawr drom ar draws y ffordd!* *Mae gennym fwyell, caib a gordd!*
Beca:	*Gan bwyll, gan bwyll, fy merched! Falle* *Gwnaiff hi agor imi'n awr*

Ond na, rhyw follt a chlo sydd arni
Ac mae'n tywyllu mwy bob awr.
Beth wnawn ni, ferched? Dyma le
A minnau eisiau mynd sha thre!

Merched: *Does dim un dewis arall nawr,*
Mam fach – mae'n rhaid i'r iet ddod lawr!

Beca: *I lawr â hi 'te, Ferched Beca!*
Does ganddi hi ddim hawl i fod 'ma!
Dewch â'r ordd i'w malu'n yfflon!
Dewch â bwyell a throsolion,
Chwalwch dŷ y casglwr tolle,
Teithio'n rhydd fydd ar ein hole!

Dathlu'r Mimosa a Gwladfa Gymreig ym Mhatagonia 1865

Yn 2015, wrth gofio 150 o flynyddoedd ers pan hwyliodd y fintai gyntaf o 162 o Gymry ar y *Mimosa* o Lerpwl i Batagonia, daeth sawl agwedd o'r hanes yn ôl yn fyw.

Cofiwn y rhesymau dros y daith a'r fentr. Yn 1865, roedd Cymru'n wlad oedd wedi'i rhwygo rhwng y werin oedd yn mynychu'r capeli a'r rheolwyr a'r cyfoethogion oedd yn aelodau o'r eglwysi. Roedd y capelwyr yn rhoi arian i gynnal eu hachosion eu hunain ond hefyd – drwy gyfraith – yn gorfod talu degwm (degfed ran o'u hincwm) i'r eglwys. Tlodi oedd y gelyn mawr – yng nghefn gwlad ac yn yr ardaloedd diwydiannol. Tlodi oedd yn gyfrifol am afiechydon a marwolaethau, tai anaddas a gorfodaeth ar blant i roi'r gorau i addysg a dechrau gweithio yn llawer rhy ifanc. Roedd rhai mor ifanc â phum mlwydd oed yn gweithio dan ddaear yn y pyllau glo.

Yn 1865, roedd yr iaith Gymraeg a diwylliant y Cymry yn destun gwawd gan Saeson a Chymry Seisnigaidd. Gan feddwl bod hynny'n ffordd o foderneiddio a datblygu'r wlad, gwaharddwyd y Gymraeg mewn ysgolion a throwyd conglfeini'r diwylliant – fel yr Eisteddfod – yn Saesneg. Cafodd mwy a mwy o bobl gyffredin yr hawl i bleidleisio,

ond os oeddent yn codi'u llais a'u llaw i blaid wahanol i un y meistr tir roedd perygl gwirioneddol y buasent yn colli'u tai a bywoliaeth eu ffermydd.

Oedd, roedd digon o resymau pam roedd y syniad o wladfa Gymreig wedi gwreiddio yng Nghymru'r cyfnod hwnnw. Bu sawl ymgais debyg i greu talaith yn cael ei llywodraethu gan y Cymry yn America, De Affrica, Awstralia, Seland Newydd a hyd yn oed Palesteina. Ond dan arweiniad Michael D. Jones o Lanuwchllyn, dechreuwyd cymryd camau at wireddu'r freuddwyd yn ardal Dyffryn Chubut, yn ne'r Ariannin ac i'r dwyrain o Chile. Roedd y 162 cyntaf yn cynrychioli sawl ardal o Gymru, a nifer o Gymry oedd wedi ymfudo i drefi Lloegr. Roedd ar y llong bobl wedi cael addysg, crefftwyr a gweithwyr cyffredin; Cymry cefn gwlad a Chymry'r pyllau glo. Gellid dweud ei bod yn fintai genedlaethol ym mhob ystyr y gair.

Rhyddid oedd yn eu gyrru – rhyddid i fod yn berchen

tir, i weithio heb feistr, i addoli yn ôl eu dymuniad, i lywodraethu eu tir a'u cymdeithas fel y gwelent yn dda, a rhyddid i fyw yn Gymraeg.

Bu'n antur galed. Doedd mordaith y *Mimosa* ddim yn ddechreuad da – yn ystod y ddau fis ar y cefnfor, wynebodd y llong stormydd geirwon, afiechydon a bu nifer o'r plant farw arni. Pan laniodd y fintai ym Mhorth Madryn, roedd yn ganol gaeaf garw, y gwynt yn rhewllyd, y lle'n ddiadeilad a digysgod a bwyd a diod yn eithafol o brin.

Bu farw un ferch – Mary Jones o'r Bala, dwy oed – y diwrnod y cyrhaeddodd y *Mimosa* fae Porth Madryn a hi oedd y Gymraes gyntaf i'w chladdu yn naear Patagonia. Bythefnos yn ddiweddarach, ganwyd merch i gwpwl o'r Ganllwyd, a galwyd y Gymraes gyntaf i'w geni ym Mhatagonia yn Mary hefyd. I gofio amdani, galwyd y gadwyn o fryniau o amgylch Porth Madryn yn 'Fryniau Meri'. Roedd Meri fach wedi dod â gobaith i'r Cymry, gobaith y gallent drechu'r holl anawsterau a llwyddo i wneud rhywbeth ohoni yn y wlad galed a dieithr honno.

Fel yna mae'n digwydd yn aml – mae plant yn dod â gobaith newydd gyda nhw. Heddiw, mae plant Cymraeg Patagonia yn rhoi bywyd newydd i'r iaith ar y paith o hyd.

Bryniau Meri

Y gwynt yn chwipio'n oer o'r Andes,
Y criw heb fwyd na gwres na lloches,
Yn waeth na'r cyfan, rhaid ffarwelio
Ag arch fach arall ar ôl glanio.

Ond cilio wnaeth yr ofn a'r dychryn
Pan anwyd merch ar dir Porth Madryn,
Anghofiwn ni mo'r bore hwnnw
Pan glywyd llais un babi'n galw.

Bydd pwtan arall yn parablu
Hen eiriau pell aelwydydd Cymru,
A bydd yn sôn am enwau lleoedd
Draw, draw yng ngwlad yr hen deuluoedd.

Meri oedd y ferch fu farw,
Meri hithau'r ferch sy'n galw,
Bryniau Meri, Patagonia –
Haul a dagrau ein Mimosa.

Tanchwa Senghennydd a Balchder y Cwm

Ar 14 Hydref 1913 ffrwydrodd yr aer ym mhwll glo'r Universal yn Senghennydd. Saethodd fflamau ar hyd y lefelau dan ddaear ac i fyny'r siafft i wyneb y lofa. Bu'r timau achub yn ymladd y tân, y mwg a'r nwy a'r cwympiadau am wythnosau ac yn y diwedd cafwyd bod 439 glöwr wedi'u lladd ac un aelod o'r timau achub. Hon oedd y ddamwain waethaf yn hanes cloddio am lo yng ngwledydd Prydain.

Roedd gan bob un bywyd a gollwyd stori i'w hadrodd. Weithiau, gall y ffigyrau beri inni golli golwg ar yr unigolion a'r teuluoedd oedd yn cael eu taro gan y colledion. Stori un o'r bywydau a gollwyd sydd yn y faled hon.

Mae'r faled yn sôn am weithio 'dybyl shifft'. Ystyr hynny yw gweithio shifft ychwanegol dros bartner sy'n wael, wedi brifo neu'n methu dod i'r lofa. Byddai'r gweithiwr yn gwneud y gwaith yn ei le ac yn rhoi cyflog y shifft honno i'w bartner, gan nad oedd unrhyw gymorth arall ar gael i'w deulu bryd hynny.

Pump y bore yn Senghennydd

Mae Eic yn falch o weld y lampau,
Er bod y nos 'run fath â'r dydd
I lawr yn y dyfnderoedd cudd,
Adeg braf yw hel y pacie
A mynd i'r caets i gwrdd â'r gole.

Mae'n bump o'r gloch ar ben y lofa,
Wynebau'r gwaith yn troi tua thre,
Wynebau glân yn mynd â'u lle
Ac Eic sy'n chwilio 'mysg y dyrfa
Ydi Glyn, ei bartner, yma.

Mae Glyn a'i wraig yn disgwyl teulu,
Pa bryd y daw, does neb a ŵyr,
Mae shifft i'w gwneud ac mae hi'n hwyr;
Os na all Glyn fynd 'lawr i dyllu
Lle Eic, ei bartner, yw ei helpu.

Mae'r caets yn disgyn unwaith eto,
Sŵn y winsh, a'r cwymp i lawr;
Deng munud bellach wedi'r awr
Mae Eic yn troi'n ei ôl i weitho
Dybyl shifft heb air o gwyno.

Ar hynny dyma waedd o'r fagddu
A Glyn ar ras yn wên i gyd:
'Mae'r babi'n cysgu yn y crud!
Rwyf wedi'i dala, wedi'i magu,
Mae'i mam hi hefyd ar i fyny.'

A chyda llun o'r ferch fach newydd
O flaen ei lygaid, bochau glân,
A llais y fam yn sibrwd cân,
Aeth Glyn dan gario'i wên ysblennydd
I lawr i ddüwch tew Senghennydd.

Pan nodwyd bod canrif ers trychineb Senghennydd yn 2013, dadorchuddiwyd cofeb genedlaethol i gofio am holl golledion y diwydiant glo yng Nghymru. Mae rhestr y marwolaethau mewn gwahanol byllau ac ardaloedd glofaol yng Nghymru yn eithriadol o drist – Rhisga, 1860 (145 o fywydau); Ferndale, 1867 (178); Abercarn, 1878 (268); Maerdy, 1885 (81); Albion, Pontypridd, 1894 (286); Gresffordd, 1934 (266); Six Bells, 1960 (45); Aberfan, 1966 (116 o blant a 28 oedolyn).

Y ddelwedd a ddefnyddiwyd i greu cerflun y Gofeb Genedlaethol yw tîm achub yn cynorthwyo glöwr i adael pwll peryglus. Er gwaethaf yr holl golledion, mae dewrder y timau achub yn destun balchder o hyd. Glowyr o byllau cyfagos a glowyr a fu ar shifft nos oedd aelodau'r timau achub yn Senghennydd – er gwaetha'r mwg, y nwy, y ffrwydradau, y tân a'r holl beryglon eraill, roeddent yn fodlon mentro'u bywydau i achub cyd-lowyr o dan ddaear. Er bod llawer o chwerwedd at berchnogion y pyllau ynglŷn â diffyg gofal a diogelwch yn y gwaith, mae edmygedd mawr yn parhau at ddewrder anhunanol y timau achub.

Y Timau Achub
(Senghennydd 2013)

Nid magu tristwch ydi hyn,
Dod nôl at ddoe a'i drychinebau,
Mi daerith rhai eu du yn wyn
Mai magu tristwch ydi hyn,
*Ond clywais i am Jac Ty'n Llyn**
Yn dod o'r mwg a'r tân i'r golau.
Nid magu tristwch ydi hyn,
Dod nôl at ddoe a'i drychinebau.

Aeth timau achub 'lawr i'r twll
Ar ôl dod yno dros y mynydd,
A hwythau'n llawn o lwch un pwll
Aeth timau achub 'lawr i'r twll
I fyd ar dân a'i nwyon mwll
Yn syth o'u shifft i siafft Senghennydd.
Aeth timau achub 'lawr i'r twll
Ar ôl dod yno dros y mynydd.

Mi gyfrwn eto'r meirwon hyn
A chyfri'r dwylo aeth drwy'r fflamau;
Dwy awr ar hugain Jac Ty'n Llyn,
Mi gyfrwn eto'r meirwon hyn
A'r rhai oedd gyda'r angau'n dynn
Ar wres eu sodlau yn y siafftau,
Mi gyfrwn eto'r meirwon hyn
A chyfri'r dwylo aeth drwy'r fflamau.

*Jac Ty'n Llyn a'i frawd oedd y rhai olaf i'w hachub o danchwa Senghennydd wedi iddynt fod o dan ddaear am 22 awr

Carchar Fron-goch

Diwrnod braf oedd Llun y Pasg yn Nulyn yn 1916. Roedd yr haul ar wyneb afon Liffey ond roedd y dociau'n dawel gan fod pawb yn cadw gŵyl. Roedd y rhan fwyaf o'r siopau ar gau y diwrnod hwnnw hefyd ac roedd y palmantau'n weddol wag. Ond yn sydyn, agorodd drysau Swyddfa'r Post – adeilad mawreddog ar y brif stryd. Daeth dynion a merched allan mewn lifrai milwrol, gwyrdd – gwisg anghyfreithiol yr Irish Volunteers, byddin gudd oedd yn ymladd dros ryddid Iwerddon. Daeth un ohonynt ymlaen i annerch y dyrfa, gan ddarllen datganiad sydd bellach yn fyd-enwog – Datganiad Gweriniaeth Iwerddon. Roedd Iwerddon yn wlad rydd, meddai'r datganiad, ac roeddent hwy – byddin y weriniaeth – yn mynd i amddiffyn Swyddfa'r Post a nifer o adeiladau eraill ar hyd ac ar led Dulyn rhag byddin estron. Y 'fyddin estron', wrth gwrs, oedd y Prydeinwyr – roedd Iwerddon yn cael ei rheoli gan lywodraeth Llundain bryd hynny.

Am wythnos, bu Dulyn yn faes brwydro. Anfonwyd rhagor o filwyr Prydeinig i'r ddinas a llong ryfel i fyny'r afon. Saethwyd a bomiwyd yr adeiladau a feddiannwyd gan y cenedlaetholwyr Gwyddelig. Erbyn diwedd yr wythnos o dân a lladd, roedd y gwrthryfelwyr wedi ildio.

Aed â nhw i garchardai'r ddinas ac ar ddechrau mis Mai, saethodd yr awdurdodau Prydeinig bedwar ar ddeg o'r arweinwyr yn erbyn wal yng ngharchar Kilmainham. Roedd cannoedd o wirfoddolwyr eraill yn y carchardai ac erbyn hyn roedd y fyddin Brydeinig wedi dechrau arestio pawb drwy Iwerddon oedd yn weithgar neu'n cefnogi achos rhyddid y wlad. Pan oedd carchardai Iwerddon yn llawn, dyma fynd â nhw drosodd i garchardai Prydain.

Roedd yn rhaid cael ateb gwell i'r broblem gan fod cefnogwyr yr Irish Volunteers yn niferus iawn. Dyma'r awdurdodau'n cael y syniad o ddefnyddio hen waith whisgi yn y Fron-goch ger y Bala, oedd ar y pryd yn wersyll carcharorion rhyfel i Almaenwyr, a throi hwnnw yn wersyll-garchar i'r Gwyddelod. Beth allai fod yn well? Lle unig, diarffordd ymhell o Iwerddon. Byddai hyn yn sicr o dorri calon y cenedlaetholwyr Gwyddelig a'u gwneud yn barod i ufuddhau i drefn Llundain unwaith eto.

Ym Mehefin 1916, dyma'r Gwyddelod yn dechrau cael eu cludo mewn wageni gwartheg ar hyd y rheilffordd i fyny dyffryn Dyfrdwy drwy Langollen a'r Bala ac ar hyd lein Cwm Prysor i'r Fron-goch. Wrth sbecian allan drwy graciau yn ochrau'r wageni pren, doedd y Gwyddelod ddim yn medru coelio'u llygaid – roeddent yn gweld mynyddoedd a mawndir, caeau glas, grug a rhedyn a ffermydd bach gwyngalchog. Roedd y tir mor debyg i Iwerddon!

Ac ar ôl croesi Clawdd Offa, roedden nhw yn sylwi ar wahaniaethau eraill hefyd. Roedd y bobl yn eu trin yn fwy

caredig. Roedd enwau Cymraeg ar y gorsafoedd ac roeddent yn clywed y Gymraeg yn cael ei siarad yn huawdl a naturiol. Am y tro cyntaf, dyma rai o'r Gwyddelod yn sylweddoli mor bwysig oedd iaith genedlaethol fel y Gymraeg. Y Gymraeg oedd tarian naturiol y Cymry yn erbyn awdurdod estron. Roedd yr Wyddeleg wedi colli tir yn arw ers sawl cenhedlaeth, ond yn y Fron-goch, dyma'r Gwyddelod oedd yn ei medru hi yn dechrau rhoi gwersi Gwyddeleg i'r gweddill. Roedd rhai ohonyn nhw yn dysgu Cymraeg hefyd! Roedd hynny yn ei gwneud hi'n haws iddyn nhw fod ar delerau da efo'r Cymry a chael trafod a sgwrsio gyda nhw.

Carcharwyd bron ddwy fil o wladgarwyr Gwyddelig yn y Fron-goch rhwng Mehefin a Rhagfyr 1916. Yn hytrach na thorri eu calonnau, rhoddodd y gwersyll hwnnw ym mynyddoedd Meirionnydd dân newydd yn eu hysbryd. Gyda'i gilydd, gyda'u hiaith a'u penderfyniad, aethant yn ôl i'w hynys eu hunain ac ymladd yn llwyddiannus dros eu rhyddid. Flynyddoedd yn ddiweddarach, roedd amryw ohonynt yn cydnabod yn ddiolchgar ddylanwad y carchar hwnnw yn sain y Gymraeg arnynt.

Connemara Meirionnydd

Edrych drwy'r craciau yng ngherbyd y trên,
Enwau'r gorsafoedd yn ddiarth a hen;
Gwynt y gorllewin fel cof yn y tir,
Bwrlwm yr afon a'i chân yn un glir.

Cytgan:
Connemara wrth droed yr Arennig,
Drwy'r weiar bigog mae adre i mi,
Gweld drwy'r niwl mynydd obaith o'r newydd:
Rhyddid sy'n fyw – a dyma'n gwlad ni.

Clywed dyn bara o'r Bala: "S'mai Wa!"
A'r postman yn ateb: "Mae'r tywydd 'ma'n dda!"
Gwreiddiau'r Gymraeg yma'n ddwfn ac yn gry,
Geiriau yn arfau o'r hen oes a fu.

Canu rhyw faled
Wrth gario ei fwced;
Balchder y werin ar waith:
Does 'na ddim carchar mewn iaith.

Cytgan:
Connemara wrth droed yr Arennig,
Drwy'r weiar bigog mae adre i mi,
Gweld drwy'r niwl mynydd obaith o'r newydd:
Rhyddid sy'n fyw – a dyma'n gwlad ni.

*Cyfansoddwyd gyda disgyblion Ysgol Bro Tryweryn
ar gyfer dathliad Gwersyll Fron-goch 2016

Draig Goch ar Gastell Caernarfon

Dydd Gŵyl Dewi, 1931. Roedd gŵr o'r enw J. E. Jones o Felin-y-wig yng Nghaernarfon wedi sylwi, gyda braw a dicter, mai baner Iwnion Jac a chwifiai ar Dŵr yr Eryr, prif dŵr y castell.

Roedd y Ddraig Goch wedi cael ei derbyn fel baner Cymru ers canrifoedd – hi yw'r faner genedlaethol hynaf yn y byd, yn dyddio'n ôl i gyfnod y brenin Cadwaladr (655-682) a chwedl Dinas Emrys cyn hynny. Ond doedd y sefydliad Prydeinig ddim yn ei derbyn – dywedodd Winston Churchill nad oedd y ddraig yn mynegi dim byd ond 'spite, malice, ill-will and monstrosity'! Bu sawl ffurf ar faner y ddraig, gan gynnwys fersiwn 'frenhinol' gyda choron uwch ei phen, ond derbyniwyd y fersiwn bresennol – coch, gwyn a gwyrdd – yn 1959 a hynny wedi ymgyrch gan Orsedd y Beirdd.

Ond yn ôl yn 1931, prin iawn y gwelid y Ddraig Goch yn gyhoeddus – hyd yn oed ar Ŵyl Ddewi neu yn ystod Eisteddfodau Cenedlaethol. Dyn yn edrych tua'r dyfodol oedd J. E. Jones. Ysgrifennodd at David Lloyd George, cwnstabl y castell, yn gofyn am hedfan y Ddraig gyfuwch â'r Iwnion Jac y flwyddyn ganlynol. Anfonwyd y llythyr yn ei flaen at swyddog bach yn y swyddfa adeiladau cyhoeddus. Derbyniwyd ateb swta, trahaus yn dweud 'Na'.

Doedd J. E. Jones, trefnydd Plaid Cymru o'i swyddfa yng Nghaernarfon, ddim yn un i dderbyn ergyd o'r fath yn dawel. Cyhoeddodd y llythyr yn y wasg a chyffrowyd miloedd o gyd-Gymry. Gofynnwyd cwestiynau gan aelodau seneddol Cymreig yn Nhŷ'r Cyffredin ond parhau i wrthod yr oedd yr awdurdodau.

Cyn deg o'r gloch ar fore Dydd Gŵyl Dewi 1932, roedd llanc mewn siaced ledr, helmet moto-beic a gwydrau mawr tywyll yn talu chwe cheiniog er mwyn cael mynediad i'r castell. Roedd rycsac ar ei gefn. Yn honno roedd clamp o ddraig goch, deg llath o hyd. Cyn hir, roedd ar ben Tŵr yr Eryr yn sefyll dan y polyn Iwnion Jac. J. E. Jones oedd llanc y moto-beic.

Cyn hir, daeth tri i ymuno ag ef – E. V. Stanley Jones, cyfreithiwr ifanc yng Nghaernarfon; W. R. P. George, cyfreithiwr ifanc arall a nai i Lloyd George, a Wil Roberts, swyddog yn swyddfeydd y llywodraeth. Yn gyflym, datodwyd y rhaffau. Daeth yr Iwnion Jac i lawr a chodwyd y Ddraig Goch yn ei lle. Cododd bonllef o 'Hwrê!' o'r Maes. Staplwyd y rhaffau i'r polyn, a chanodd y pedwar ar y tŵr 'Hen Wlad fy Nhadau'. Canodd y dorf oedd bellach wedi crynhoi ar y Maes yr anthem hefyd. Aeth y pedwar at risiau cul y tŵr i atal swyddogion y castell rhag dringo at y faner. Ymhen hanner awr, cyrhaeddodd yr heddlu a symud y protestwyr o'r neilltu. Rhoddwyd y Jac yn ôl i'r castell ac ymhen awr roedd yn ôl ar y polyn a baner Cymru wedi'i thynnu i lawr.

Y prynhawn hwnnw, heb wybod dim am firi'r bore, daeth ugain o fechgyn o Goleg Prifysgol Bangor i ymweld â'r castell. R. E. Jones o Langernyw oedd eu harweinydd. Cawsant fynediad ar ôl talu, ond roedd dôr fawr Tŵr yr Eryr bellach wedi'i chau a'i chloi. Ar ôl dringo i ben y muriau, llwyddodd y criw i wthio i mewn i'r Tŵr drwy agen saethu! Ymhen ychydig funudau roedd yr Iwnion Jac i lawr am yr eilwaith. Cyrhaeddodd y plismyn ar frys a helwyd y llanciau o'r castell. Ond roedd un ohonynt wedi lapio'r Iwnion Jac amdano o dan ei gôt!

Bu R. E. Jones yn areithio ar y Maes ac roedd tyrfa wedi ymgasglu yno. Ceisiwyd llosgi'r Jac, ond roedd yn gwrthsefyll pob matsien. Yn y diwedd cafodd ei rhwygo'n ddarnau. Cadwyd darnau i gofio am yr achlysur gan nifer o deuluoedd. Derbyniodd y brotest gefnogaeth gan Gymry o bedwar ban byd.

Erbyn y Dydd Gŵyl Dewi dilynol, 1933, roedd yr awdurdodau wedi cyhoeddi'n swyddogol bod Draig Goch i'w chwifio ochr yn ochr â'r Iwnion Jac. Cafwyd seremoni fawr yng nghastell Caernarfon a daeth pum mil o bobl yno i wrando ar Gôr Telyn Eryri ac eraill yn dathlu codi'r Ddraig Goch ar y Tŵr ar ôl yr holl ganrifoedd. Ymledodd yr arfer drwy Gymru, ac roedd J. E. Jones yn un o'r rhai a drefnodd fod ffatri arbennig yn dechrau cynhyrchu baneri Draig Goch ac yntau wedyn yn eu gwerthu o'i swyddfa.

Draig ar y mast

Mae'r ddraig, fel y gwyddom i gyd,
Yn greadur chwedlonol;
Ni ddaw hi o'i hogof a gwneud
Ymosodiad personol.

Ni welir hi'n hedfan uwch gwlad
Gyda'i fflamau yn danllyd;
Ni phoerith hi esgyrn yn swp
Lle bu gelyn bach gwanllyd.

Ac felly chwedlonol, medd rhai,
Ydi'n gwlad a'i gorffennol,
A'r heniaith sydd yma i'n plant –
Byddai'n well 'tae'n absennol.

Ond hon ar ein mastiau sy'n nerth
Rhag cael ein difrodi,
A dyna esbonio paham
Fod chwedlau yn codi.

Teulu'r Beasleys

Yn Eisteddfod Genedlaethol Bro Morgannwg 2012, un o'r pebyll a gafodd y sylw mwyaf ar y Maes oedd pabell wag. Pabell yn anrhydeddu Trefor ac Eileen Beasley o Langennech, ger Llanelli, oedd hi, a'u brwydr hir yn y 1950au i dderbyn biliau treth lleol yn y Gymraeg gan Gyngor lle'r oedd 90% o'r boblogaeth yn siarad Cymraeg. Roedd gwacter y babell yn dwyn i gof ganlyniad eu protest – gwagiwyd cartref teulu'r Beasleys sawl tro gan fwmbeilïaid am eu bod yn gwrthod talu eu dyledion i'r Cyngor nes cael gwasanaeth Cymraeg.

Gwrthododd teulu'r Beasleys dderbyn yr un esgus nac ildio i'r un bygythiad ac wedi wyth mlynedd o ddadlau eu hachos drwy lythyrau ac achosion llys, cawsant bapur

treth cyngor Cymraeg. Heddiw, mae eu safiad yn cael ei ystyried yn arwrol ac fel yr achos cyntaf o dorri cyfraith bwriadol er mwyn sicrhau hawliau swyddogol i siaradwyr Cymraeg.

Athrawes o ardal Hendy-gwyn ar Daf oedd Eileen a glöwr ym Mhwll y Morlais, Llangennech oedd Trefor. Priododd y ddau yn 1951 ac ar ôl cael eu tŷ eu hunain yn 1952, penderfynodd y ddau wrthod talu'r dreth oni chaent lythyr Cymraeg gan y Cyngor. Bu eu hachos o flaen y llys 16 o weithiau a bu'r bwmbeilïaid yn eu cartref bedair gwaith, gan fynd â'r rhan fwyaf o'u dodrefn oddi yno ar fwy nag un achlysur. Cawsant bapur treth dwyieithog yn 1960. Roedd ganddynt ddau blentyn – Elidyr a Delyth.

Yn 1900 roedd hanner pobl Cymru yn siarad y Gymraeg. Erbyn 1951, dim ond 29% o'r boblogaeth oedd yn ei siarad. Roedd pryder gwirioneddol y byddai'r Gymraeg – un o ieithoedd hynaf Ewrop – yn peidio â bod yn iaith fyw. Ysbrydolodd gweithred teulu'r Beasleys anerchiadau a phrotestiadau lu dros hawliau i'r siaradwyr

Cymraeg, gan gynnwys sefydlu Cymdeithas yr Iaith Gymraeg. Torrwyd llawer o ddeddfau; aeth llawer i garchar; enillwyd sawl buddugoliaeth fach. Ond bellach mae deddf gwlad wedi sicrhau bod y Gymraeg yn iaith swyddogol yng Nghymru.

Y tŷ llawn

Lorri o flaen y tŷ.
Gŵr â het ddu
a dynion cry'
yn cnocio, cnocio.
Papur, gyda stamp arno.
Wedi dod i nôl y piano.

Lle mae dy biano di'n mynd, Delyth fach?
Dim mwy o rwgnach
am ddysgu nodau mwyach.

Maen nhw yn eu hole
ac mae'r drych yn eu breichie.
Anrheg priodas gan berthynas.
Twll ar y wal heb ei gymwynas.

Beth wnei di, Trefor,
cyn cwrdd, cyn pwyllgor,
rhag baw y lofa rhagor?

Cadeirie, y tro yma,
ac yn gwmni iddynt, soffa;
ar y stryd, tyrfa.

Lle'r eisteddi di, Eileen,
ar ddiwedd dy ddiwrnod cyffredin
wedi i'r byd dy drin?

Maen nhw'n cerdded o'r tŷ gyda'r carped!
Mae'r llawr mor galed.
Adlais gwag i'w glywed.

Lle gei di gysur, Elidyr?
Dy dad gyda'i bapur,
dy fam yn sgwennu llythyr,
tithau ar dy fol ar lawr oer yn brysur.

Ac eto trech
oedd ymdrech
un teulu'n Llangennech
na lorri a het ddu,
cyngor, llys a dynion cry'.
Er i'r piano ddiflannu,
pedwarawd Cymraeg sy'n canu
a'r iaith sy'n dodrefnu'r tŷ.

Gobaith Cymru

Sylweddolodd Ifan ab Owen Edwards rywbeth arbennig iawn yn 1922. Sylweddolodd mai gobaith Cymru oedd ei phlant. Sefydlodd Urdd Gobaith Cymru drwy gyfrwng y cylchgrawn *Cymru'r Plant* a chyn diwedd y flwyddyn roedd gan y mudiad newydd 720 o aelodau, a sefydlwyd yr adran gyntaf ym mhentref Treuddyn, sir y Fflint.

Breuddwyd Ifan ab Owen Edwards oedd bod plant yn medru defnyddio'r Gymraeg y tu allan i'r cartref a'r capel. O'r dechrau, roedd pwyslais y mudiad newydd ar gynnal cymdeithas a chreu mwynhad a chael plant i chwarae yn Gymraeg. Erbyn 1927, roedd gan Urdd Gobaith Cymru dros 5,000 o aelodau. Y flwyddyn ddilynol, cynhaliwyd dau wersyll haf i'r plant am y tro cyntaf. Gwelwyd Eisteddfod Genedlaethol yr Urdd am y tro cyntaf yn 1929 a'r Mabolgampau Cenedlaethol cyntaf yn 1932. Dyma sail y mudiad a dyfodd i wneud cyfraniad anferth i fywydau plant a bywiogrwydd y defnydd a wneir o'r Gymraeg.

Nid oedd y fath beth ag addysg Gymraeg yn y dyddiau cynnar hynny ond yn 1939 sefydlodd Ifan ab Owen Edwards a'i wraig, Eirys Mary Lloyd, ysgol breifat Gymraeg yn Ffordd Llanbadarn, Aberystwyth dan nawdd yr Urdd. Dim ond saith disgybl oedd ynddi pan agorodd, ond roedd 81 disgybl a phedair athrawes yno erbyn 1945. Yn 1952, daeth yr ysgol o dan ofal yr awdurdod addysg lleol, ac ers hynny gwelwyd twf ysgubol mewn ysgolion Cymraeg cynradd ac uwchradd drwy Gymru. Mae 350 o blant yn Ysgol Gymraeg Aberystwyth mewn adeilad newydd ym Mhlascrug bellach. Ac wrth gwrs, mae degau o filoedd o blant yn mynychu ysgolion Cymraeg ym mhob cwr o Gymru.

Y Saith

Mae gennym eu henwau, y saith
Wrth ddesgiau fu'n barod am waith.

Mae'n sicr y cawson nhw gân
A straeon plant mawr a phlant mân,

A gallwn ddyfalu pa fardd
Y paentiwyd ei gerddi yn hardd.

Ond yno y clywsant am ddau
A dau yn Gymraeg, a chyn cau

Roedd map daearyddiaeth y byd
Ar flaenau'u tafodau i gyd,

A hanes y ddaear a gaed
Gan ddechrau dan wadnau eu traed.

Y gamp a gyflawnodd y saith
Oedd agor ffenestri ag iaith.

Cadw Llangyndeyrn rhag y Dŵr

Bro amaethyddol braf rhwng Cydweli a Chaerfyrddin yw Cwm Gwendraeth Fach. Yn haf 1960, roedd deng mil o wartheg yn pori ar fil o aceri ffrwythlon yno a nifer o hen deuluoedd yn byw ar y ffermydd, y meibion wedi dilyn eu tadau ers sawl cenhedlaeth. Allt y Cadno, Fferm y Llandre, Torcoed Isaf, Panteg, Glanyrynys, Ynysfaes – mae enwau Cymraeg y ffermydd yn canu.

Yna daeth stori ar led bod cyngor tref Abertawe yn ystyried codi argae ar draws y cwm a'i foddi – er mwyn creu cronfa ddŵr i ddiwydiannau gorllewin Morgannwg. Roedd pobl y cwm yn methu â chredu'r peth! Ond roedd y bygythiad yn wir. Roedd Cymru wedi colli llawer o gymoedd i greu cronfeydd dŵr i drefi poblog – Tryweryn, Clywedog, Elan, Claerwen, Efyrnwy. Ai dyna fyddai tynged Cwm Gwendraeth Fach yn ogystal?

Daeth yr ardalwyr ynghyd yn y pentref yng nghanol y cwm – Llangyndeyrn. Penderfynodd pob un ffermwr a phob un o'r pentrefwyr eu bod am greu Pwyllgor Amddiffyn. Ni fyddai gweithwyr Abertawe'n cael hyd yn oed edrych ar y caeau, heb sôn am eu boddi.

Daeth archwilwyr Abertawe mewn landrofer i fesur y tir. Roedd cadwyni a chloeau ar bob giât yn y cwm. Y tu ôl

i'r giatiau roedd offer trwm yn cau'r adwy – tractor, byrnwr a chodwr grawn.

Daeth yr archwilwyr yn ôl gyda'r heddlu a hawliau cyfreithiol drwy orchymyn llys yn caniatáu iddynt gael mynediad i'r caeau ac i wneud tyllau i weld lle'r oedd y man gorau iddynt godi argae. Ond ni chawsant ganiatâd pobl Llangyndeyrn i fynd drwy'r clwydi. Lle bynnag yr âi confoi Abertawe – lorïau, landrofers, ceir, craeniau a thyllwyr – yr oedd byddin o bobl leol yn sefyll y tu ôl i glwydi, ac yn gafael yn dynn ynddynt.

Bu'n frwydr hir. Bu'n rhaid cadw gwyliadwriaeth am y confoi am fisoedd. Pan fyddai rhywun o Abertawe yn y cwm, cenid cloch eglwys Llangyndeyrn i alw'r ardalwyr i sefyll yn y bylchau. Roedd hynafiaid rhai o'r ardalwyr wedi bod yn rhan o derfysgoedd Beca, yn sefyll yn erbyn gormes dros ganrif ynghynt. Efallai fod hen, hen berthnasau iddynt wedi mynd i'r gad gyda Gwenllïan yn yr un cwm. Yn sicr, roedd ysbryd Beca a Gwenllïan yn fyw iawn yn y fro yn ystod brwydr Llangyndeyrn.

Dangoswyd cymaint o benderfyniad gan bobl y cwm nes i Abertawe ildio yn y diwedd a rhoi'r gorau i'w cynllun i foddi Cwm Gwendraeth Fach. Mae'n stori arwrol am fro fechan yn herio tre fawr, holl rym y llywodraeth, y gyfraith a'r heddlu – ac yn ennill! Yn 1965 cafwyd cyfarfod mawr arall yn Llangyndeyrn – ond parti dathlu eu buddugoliaeth oedd hwnnw.

Baled Llangyndeyrn

Daethant gyda phapur clerc y dre,
Hwnnw'n dweud yr amser, dweud y lle,
Dweud bod Llundain yn cefnogi'n glir
Gan roi iddynt hawl archwilio'r tir.

Dweud gwahanol sydd gan glo ar glwyd,
Cadwen ddur a chorff y Ffergi Lwyd,
Glanyrynys gyda'i chaeau glas
Sy'n cyhoeddi'n gadarn – 'Cadwch Mas!'

Daethant gyda'r heddlu yr ail dro,
Tynnu capiau'n is wnaeth bois y fro,
Clep i'r iet a chydio yn ei heyrn:
Roed 'run droed ar gaeau Llangyndeyrn.

Dengmil o dda'n pori yn y cwm,
Tiroedd glas o dan fygythiad llwm;
Nid oedd ildio i fod a dyna i gyd:
Ni ddôi'r dŵr i foddi Porth-y-rhyd.

Fferm y Llandre, mab yn dilyn tad;
Torcoed Isaf, parchu trefn y wlad;
Allt y Cadno, canu cloch y llan;
Panteg, Ynysfaes – heb 'run ddolen wan.

Dysgwyd hwy yn blant i barchu'r ddeddf
Ond mae gwarchod tir yn dod drwy reddf;
Daeth hen ŵr i'w tanio'n iaith ei fam;
Rhwystrwyd lorri'r dre gan wraig a phram.

Brwydr Gwendraeth Fach a ddaeth i'w rhan,
Daw i rywle arall yn y man,
Fel Gwenllïan yn wynebu'r teyrn,
Fel 'bu Beca gynt fu Llangyndeyrn.

Cau Chwarel Dinorwig

Ar 1 Gorffennaf 1969 daeth teulu brenhinol Palas Buckingham, Llundain, bob cam i gastell Caernarfon i gynnal pasiant swnllyd a lliwgar a elwir o hyd wrth yr enw 'yr Arwisgiad'. Roedd cerbydau aur yn cael eu tynnu gan geffylau addurniedig i gludo pwysigion drwy'r dref i'w seddi o fewn waliau'r gaer ar lan afon Menai. Taniwyd gynnau mawr, roedd yno fandiau a chorau, baneri a rhubanau, ac roedd pob siop ac adeilad pwysig yn y dref wedi cael côt newydd o baent.

Wel, bron pob siop. Nid oedd pawb yn cytuno gyda'r holl wariant na chwaith gyda diben yr holl seremoni. Cyhoeddi mab Palas Buckingham yn dywysog ar wlad a gwerin Cymru oedd y nod. Roedd rhai pobl yn gwybod eu hanes ac yn cofio fod gennym, ar un adeg, ein tywysogion

ein hunain a'n breuddwyd ein hunain am fod yn wlad rydd, gyfartal â phob gwlad arall yn y byd.

Fis yn ddiweddarach cyhoeddwyd bod chwarel lechi Dinorwig, wrth ymyl Llanberis, yn cau am byth. Dyna 350 o ddynion yn ddi-waith. Dyna ddiwedd ar waith a ffordd o fyw oedd yn ymestyn yn ôl i 1780. Roedd gan bawb fab neu dad neu frawd neu ewythr yn gweithio yn y chwarel. Ar un adeg roedd dros 3,000 o weithwyr yno – hi oedd y chwarel fwyaf yn y byd. Crefftwyr llechi creigiau Eryri oedd y gorau o'u math yn y byd. Caeodd y giatiau am y tro olaf ar 22 Awst 1969 ac yna dechreuwyd gwerthu'r offer fel sgrap.

Drwy ddycnwch a gweledigaeth Huw Richard Jones, cyn-brif beiriannydd y chwarel, arbedwyd llawer o'r gêr – digon i agor amgueddfa genedlaethol bwysig yno o 1972 ymlaen. Drwy ei weledigaeth ef, mae gennym Amgueddfa Lechi Cymru yn Llanberis sy'n dangos crefft a bywydau'r chwarelwyr. Dyma amgueddfa y gallwn fod yn falch ohoni ac y bydd pobl o bob rhan o'r byd yn ymweld â hi ac yn rhyfeddu.

Eto, ergyd drom i'r ardal oedd gweld y chwarel yn cau. Digwyddodd y cyfan mewn ffordd dan-din. Tra oedd y chwarelwyr ar eu gwyliau, caewyd y giatiau a phan ddychwelodd y gweithwyr gartref, roedd llythyrau diswyddo yn eu disgwyl.

I ychwanegu at y moddion chwerw y bu'n rhaid ei lyncu, un o'r contractau olaf a dderbyniodd Chwarel Dinorwig oedd creu 'esgynlawr' llechi ar lawnt castell Caernarfon. Mae'r cylch crwn yno i'w weld hyd heddiw. Ar y llwyfan hwnnw, o lechen Dinorwig a godwyd drwy lafur y chwarelwyr, y perfformiwyd seremoni teulu palas Buckingham ar 1af Gorffennaf. Mae'r llwyfan heddiw yn garreg fedd i'r chwareli ac yn garreg goffa i un o'r triciau budur y mae hanes yn ei chwarae â ni o dro i dro. Rhyw bryd – pan fydd Cymru yn cofio ei holl hanes – bydd cofeb genedlaethol deilwng i grefftwyr creigiau Eryri ar yr esgynlawr hwnnw.

Llawr llechen

Mae'r pasiant drosodd
A gwelwn ailadrodd:
Rhaid cludo pob peth yn ei ôl dros Glawdd Offa;
Dychwelodd y prins i'w balas a'i soffa.
Ffarwél i bob het
A faint o fet
Mai gwag fydd y wagen yn ardal y llechi:
Rhaid derbyn bod rhai wedi'u geni i dlodi.
Ymhen y mis,
Mae'r ysbryd yn is:
Mae'r gwŷr yn y mynydd yn naddu Dinorwig
A'r mynydd yn naddu'r gwŷr bob yn chydig.

Tri chant a hanner
Heb waith ar eu cyfer,
Dod adref o'u gwyliau i wyliau'n y glaw
A chadw'u ceiniogau mewn mỳgs chwe deg naw.
Crefftwyr y chwarel
Ar domen y rwbel,
Y goron yn Llundain a'i gemau yn ddrudfawr
Ond cysgod cymylau ar wyneb esgynlawr.
Segur yw'r gwŷr a fu'n naddu Dinorwig
Sy'n dal, dal i naddu'r gwŷr bob yn chydig.

Streic y Glowyr

Yn draddodiadol, bu glowyr Cymru yn amlwg iawn wrth fynnu hawliau tecach gan feistri'r pyllau. Roedd yn waith peryglus ac mae rhestr hir o drychinebau i'r diwydiant yng Nghymru. Dioddefodd miloedd o lowyr anafiadau difrifol a byddai clefydau'n codi o effaith y llwch dan ddaear.

Dadleuai'r glowyr dros well cyflogau gan eu bod yn wynebu'r fath beryglon a hefyd mynnent iawndal i deuluoedd y rhai a ddioddefodd gan afiechydon diwydiannol ac effeithiau'r damweiniau. Gan fod angen glo i greu ynni a gwres ar bron bob tŷ a diwydiant, roedd streic gan y glowyr yn effeithio ar y wlad gyfan ac roedd undebau'r glowyr yn medru herio llywodraethau Llundain hyd yn oed.

Yn eu tro, oherwydd pwysigrwydd y diwydiant ac oherwydd y galw mawr am lo, roedd y llywodraeth yn aml yn fodlon defnyddio dulliau treisgar i dorri streiciau'r glowyr. Anfonwyd milwyr a heddluoedd arfog ar fwy nag un achlysur yn erbyn glowyr de Cymru.

Yn 1984, roedd llywodraeth Margaret Thatcher wedi cyhoeddi ei bod am 'foderneiddio'r' diwydiant

glo ym Mhrydain. Golygai hynny gau llawer o byllau glo a diswyddo miloedd o lowyr. Dadleuai'r glowyr eu bod eisiau lle wrth y bwrdd i drafod dyfodol eu diwydiant, gan eu bod yn adnabod a deall y pyllau. Aeth Undeb Cenedlaethol y Glowyr a llywodraeth Llundain benben â'i gilydd. Bu streic o Fawrth 1984 hyd Fawrth 1985, a thros y flwyddyn honno bu nifer o sgarmesau gwaedlyd rhwng glowyr yn picedu a rhengoedd o'r heddlu oedd wedi'u gyrru yno i'w hatal.

Ar y cyfan roedd glowyr Cymru yn gadarn o blaid y streic. Streic dros waith a dyfodol i'r pentrefi a'r cymoedd oedd hon: streic i achub cymunedau. Cefnogwyd y streicwyr gan wragedd, mamau a merched y glowyr a thrwy Gymru gwelwyd broydd eraill yn codi arian a chasglu bwyd ar gyfer y teuluoedd oedd ar streic.

Tyfodd i fod yn frwydr genedlaethol yma yng Nghymru – dros hawl y wlad i reoli ei heconomi ei hun yn hytrach na gorfod dilyn penderfyniadau caled gan lywodraeth Llundain. Mae llawer yn credu mai un o ganlyniadau Streic y Glowyr oedd bod Cymru wedi pleidleisio dros gael ei Senedd ei hun yn 1997.

Mynd yn ôl i'r gwaith heb ennill dim fu hanes y glowyr ym Mawrth 1985. Caeodd y Bwrdd Glo ddegau o byllau yng Nghymru a chollodd 20,000 o lowyr eu gwaith yn y blynyddoedd a ddilynodd hynny. Bu diweithdra a thlodi enbyd yn y cymoedd a oedd wedi gweld oes aur y diwydiant.

Ond aeth y glowyr yn ôl i'w glofeydd ar 7 Mawrth 1985

y tu ôl i fandiau pres a baneri lliwgar. Y geiriau ar un o'r baneri oedd: 'Dyma'r diwedd. Diwedd y dechreuad.' Un ar bymtheg oed oedd y gwleidydd Adam Price ar y pryd. Roedd ei dad yn löwr ar streic ym mhwll y Betws yn Nyffryn Aman. Cafodd y bachgen ei ysbrydoli gan egni penderfynol y streicwyr i barhau â'r ymdrech dros ddyfodol gwell i Gymru gyfan.

Enghraifft o'r penderfyniad newydd oedd yr hyn ddigwyddodd yn y pwll dwfn olaf yng Nghymru – Glofa'r Tŵr, Hirwaun. Caewyd Glofa'r Tŵr gan 'British Coal', perchnogion y pwll, yn 1994 gan ddadlau ei fod yn aneconomaidd. Defnyddiodd 239 o'r glowyr £8,000 yr un o'u taliadau diswyddo i brynu'r lofa am £2 filiwn. Ailagorwyd y pwll yn Ionawr 1995 a bu'n brif gyflogwr yn yr ardal nes i'r glo ddod i ben yn 2008. Mae'r stori yn parhau'n deyrnged i weledigaeth y glowyr ei bod hi'n amser inni reoli economi ein gwlad ein hunain.

Diwedd y Dechreuad

Dyma'r diwedd
ar ddechreuad newydd
a dechrau'r diwedd
ar drefn y dydd;
diwedd rhannu
ymysg ein gilydd,
dechrau'r camau
at fod yn rhydd.

Dyma'r diwedd
ar Bwll y Betws,
ond dechrau eto
sydd wrth y drws;
diwedd dyddiau
Gwlad y Wyrcws,
dechrau fory
fy mhlant bach tlws.

Dyma'r diwedd
ar wado'r gweithiwr,
dechrau'r golau
o ben y Tŵr;
diwedd llaw y llywodraethwr,
dechrau dringfa
fel un gŵr.

Diwedd darfod,
dechrau'r cynnydd;
dechrau credu'r hyn a fydd;
diwedd cymoedd o fynwentydd,
dechrau'r cerdded
at fywyd rhydd.

DIWRNOD Y
LLYFR
WORLD
BOOK DAY
5.3.2020

RHANNW'CH STORI

O fore gwyn tan nos, mae 'na ddigonedd o amser i ddarganfod a rhannu straeon gyda'ch gilydd. Gallwch chi . . .

1 FYND AM DRIP i'ch SIOP LYFRAU LEOL

Mae'n orlawn o lyfrau gwych a llyfrwerthwyr gwybodus i argymell llyfrau o bob lliw a llun. Gallwch hefyd fwynhau digwyddiadau yng nghwmni'ch hoff awduron a darlunwyr.

DEWCH O HYD I'CH SIOP LYFRAU LEOL:
booksellers.org.uk/bookshopsearch

2 YMUNO â'ch LLYFRGELL LEOL

Mae yma ddewis anferthol o lyfrau hudolus – a gallwch eu benthyg yn rhad ac am ddim! Cewch gyngor arbenigol yma a digwyddiadau darllen hwylus i'r teulu oll.

DEWCH O HYD I'CH LLYFRGELL LEOL:
gov.uk/local-library-services/

3 EDRYCH ar WEFAN DIWRNOD Y LLYFR

Chwilio am awgrymiadau darllen, cyngor ac ysbrydoliaeth? Mae cymaint i'w ddarganfod ar wefan **worldbookday.com** – gweithgareddau hwyliog, gemau, lawrlwythiadau, podlediadau, fideos, cystadlaethau a'r holl lyfrau newydd diweddaraf.

NODDIR GAN / SPONSORED BY
NATIONAL BOOK tokens

DARLUNIAU / ILLUSTRATION ● Rob Biddulph

Dathlu Straeon. Caru Darllen.

Mae Diwrnod y Llyfr yn elusen sy'n cael ei hariannu gan gyhoeddwyr a llyfrwerthwyr yn y DU ac Iwerddon. Mae Llywodraeth Cymru yn cefnogi'r ymgyrch yng Nghymru.